这是我的书
It's MY BOOK
7级：400字

一周八天

作者：程以克（Vicki Cheng）
插图：冰河插画（Bing He Design）

北京语言大学出版社
BEIJING LANGUAGE AND CULTURE UNIVERSITY PRESS

PHOENIX TREE PUBLISHING INC.

识读 时间 全心全意 音乐
成为 首 歌曲

句型 ……正（在）……

字数 394字

yī jiǔ liù sì nián de yì tiān bǎo luó zuò chē qù
1964年的一天，保罗坐车去
zhǎo ài chàng gē de péng you liè nóng shàng chē hòu bǎo
找爱唱歌的朋友列侬。上车后，保
luó wèn sī jī nǐ guò de zěn me yàng a
罗问司机：“你过得怎么样啊？”
sī jī shuō wǒ měi tiān dōu hěn nǔ lì yì zhōu
司机说：“我每天都很努力，一周
bā tiān dōu zài gōng zuò
八天都在工作。”

一个星期只有七天，可是司机却说他八天都在工作，这是什么意思呢？保罗心想：一周八天，就是说时间像金子一样，所以要把七天当成八天来用；一周八天，就是说只要天天努力，不浪费时间，你就会得到更多东西；一周八天，就是说只要全心全意地工作，你的生活就会像阳光一样明亮。

“一周八天”这句话深深地打动了保罗，他和朋友们正想写一首和爱有关的歌曲。保罗写出了《一周八天》，大家很喜欢。他们觉得，每一种热爱，只要全心全意，就是真爱！

yī jiǔ liù wǔ nián yì zhōu bā tiān lái dào měi
1965年，《一周八天》来到美
guó chéng wéi měi guó tīng zhòng fēi cháng xǐ ài de yì
国，成为美国听众非常喜爱的一
shǒu gē qǔ yě chéng wéi pī tóu shì yuè duì zuì yǒu
首歌曲，也成为披头士乐队最有
míng de gē qǔ zhī yī
名的歌曲之一。

yī jiǔ liù líng nián sì gè rè ài yīn yuè de yīng
1960年，四个热爱音乐的英
guó nián qīng rén bǎo luó liè nóng qiáo zhì bǐ
国年轻人——保罗、列侬、乔治、彼
dé zǔ chéng le zì jǐ de yuè duì qǔ míng pī tóu
得组成了自己的乐队，取名“披头
shì yì qǐ liàn xí chàng gē
士”，一起练习唱歌。

THE
BEATLES
BEATLES

jǐ shí nián lái pī tóu shì yuè duì dé dào
几十年来，披头士乐队得到
le shì jiè gè dì rén men de xǐ ài shì shì jiè
了世界各地人们的喜爱，是世界
shang chū míng zuì zǎo zuì yǒu yǐng xiǎng lì de yáo gǔn
上出名最早、最有影响力的摇滚
yuè duì
乐队。

yì zhōu bā tiān sì gè zì biǎo xiàn le pī tóu
“一周八天”四个字表现了披头
shì yuè duì sì gè gē shǒu de jīng shen zhǐ yào quán
士乐队四个歌手的精神——只要全
xīn quán yì de nǔ lì yí dìng huì zuò chu chū sè de
心全意地努力，一定会做出出色的
chéng guǒ
成果。

1 1964年的一天，保罗坐车去找爱唱歌的朋友列侬。上车后，保罗问司机："你过得怎么样啊？"司机说："我每天都很努力，一周八天都在工作。"

2 一个星期只有七天，可是司机却说他八天都在工作，这是什么意思呢？保罗心想：一周八天，就是说时间像金子一样，所以要把七天当成八天来用；一周八天，就是说只要天天努力，不浪费时间，你就会得到更多东西；一周八天，就是说只要全心全意地工作，你的生活就会像阳光一样明亮。

3 "一周八天"这句话深深地打动了保罗，他和朋友们正想写一首和爱有关的歌曲。保罗写出了《一周八天》，大家很喜欢。他们觉得，每一种热爱，只要全心全意，就是真爱！

4 1965年，《一周八天》来到美国，成为美国听众非常喜爱的一首歌曲，也成为披头士乐队最有名的歌曲之一。

5 1960年，四个热爱音乐的英国年轻人——保罗、列侬、乔治、彼得组成了自己的乐队，取名"披头士"，一起练习唱歌。

6 几十年来，披头士乐队得到了世界各地人们的喜爱，是世界上出名最早、最有影响力的摇滚乐队。

7 "一周八天"四个字表现了披头士乐队四个歌手的精神——只要全心全意地努力，一定会做出出色的成果。

1
2
3
4
BEATLES
5
BEATLES
6
7
看图讲故事